Mein Name ist Yuiko Tono ...

Ich bin ... gerade sehr unruhig ... könnte man sagen.

Ich bin Satorus Mutter ...

Einen schönen guten Tag ...

Es ist nicht leicht zu erklären, da man diesen Gefühlszustand schlecht in Worte fassen kann ...

Yuikos Beobachtungstagebuch

Ach ... Mir sieht man von Geburt an meine Gefühle nicht an ...

...

... daher kommt das vielleicht nicht so rüber ...

Schließ-lich ...

Aber es sind wirklich seltsame Gedanken in meinem Kopf ...

... ist mein einziger Sohn Satoru ... plötzlich mit seinem besten Freund Tamiya zusammen ...

...

Ehrlich gesagt, habe ich das erst vor Kurzem herausgefunden!!

Liebe ist schließlich grenzenlos ...

Eigentlich bin ich auch nicht dagegen ...

... kannte ich so was von meiner Highschool, weil es eine reine Mädchenschule war.

Auf dem Heimweg vom Einkaufen ist sie in diese Situation gestolpert ...

...

Ach ... Ich hoffe, ihr versteht mich nicht falsch. Was gleichgeschlechtliche Liebe angeht ...

Genauer könnt ihr es in Band 5 von Ohne viele Worte nachlesen ...

... deswegen werde ich Satoru beschützen, egal was passieren mag ...

Doch ich bin eher optimistisch eingestellt ...

... aber am Anfang hat es mich schon überrascht ...

Ende

Als ich das hörte, war ich zwar glücklich ...

... aber ...

Vor langer Zeit.

Damals war nur Choro bei mir.

Miau

Du kannst ruhig eine Fortsetzung zeichnen!

Ohne viele Worte hatte ich zuerst als Kurzgeschichte geschrieben.

Hinako Takanga

Ohne viele Worte – Making-of

Deswegen habe ich erst mal Schein-kandidaten auftauchen lassen.

Yukari

Yu-chan

Doch schnell ging mir der Stoff aus.

Hmmm ...

Hmmm ...

Redakteurin Y

Hm Hm

Y

Zwar ist es normal, eine Geschichte über Schüler zu zeichnen, aber es gibt häufig auch ganz langweilige Episoden ...

Sowieso habe ich nie an eine Fortsetzung gedacht.

... ich bin eher schlecht darin, Pärchen zu zeichnen ...

Verlegen

3 1
4 2

In Ordnung. Ein Mächtiger, der im Hintergrund der Schule die Strippen zieht. Und er trägt eine goldene Schuluniform.

Standard wäre, dass dort der Partner der Schulsprecher ist.

Nein, niemals.

Ein gutes Nebenpärchen.

Dann habe ich einen Partner für Yu-chan auftauchen lassen, um mit dem Nebenpärchen einen Gegenangriff zu starten!!

... *dass die Beziehung zu sicher ist, als dass es dort Probleme geben könnte* ...

Y

Das mag sein ...

Und die beiden ...

... *sind so ehrlich und so verliebt* ...

Douglas, oder?

... mit blonden Haaren ...

Irgendwie ...

Das sollte der Schulsprecher anhaben!

Aber er ist ein normaler, reicher Typ geworden.

Ein ganz anderes Design als der Rest der Schüler.

Fast wie eine richtige Militäruniform!

Douglas?

Ein ganz egoistischer Kerl also ...

Das klingt gut.

Lass mich los!!

Schau nur mich an.

Und der Uke ist schüchtern und wehrt sich ...

Sie kommt aus einer verarmten Adelsfamilie, hat aber ihren Stolz nicht aufgegeben.

Und Yu-chan ... ist ... Patricia.

Übrigens ...

... unmöglich.

Hmmm Hmmm

... sind für mich egoistische Kerle ...

Eine unfähige Zeichnerin.

!!

Jetzt versteh ich!!

Nenn mich bitte nicht so, Papa!

Ihr Spitzname ist **Pat.**

Was redest du denn da, Hinako?!

... wie man egoistische Kerle zeichnet.

Ich weiß wirklich nicht ...

Du magst doch so altmodischen Kram, oder?!

Buhu Buhu Buhu

Batsch

Was hast du so plötzlich?

... weswegen sie ihn plötzlich respektiert.

Und vor ihm (vor ihr?) erscheint dann plötzlich ein stattlicher Mann ... Das ist Douglas.

Er ist ein normaler Bürger, aber durch sein Geschäft reich geworden.

!!

Huch!

He he ...

Ah.

Du bist aber eine engstirnige junge Dame.

Kreisch

Pat!

Und das Treffen der beiden ...

Ja, Frau Lehrerin ...

Bei einem Ausritt geht Pats Pferd plötzlich durch ...

Ge... Genau!! Ein Pferd!!

Jetzt sind die Zügel gerissen!!

Du blutest ...

Wie unhöflich!!

Du hast es langsam begriffen.

So ist gut, Hinako!

Ich habe sie gefunden!!

Zitter Zitter

Fast so, als wären es echte Charaktere.

Klasse.

Pat wird von Douglas gerettet ...

!

Drück

Bei jedem Treffen rege ich mich über ihn auf!!

Aber ... plötzlich habe ich nur noch an ihn denken können!

Bei anderen verhalte ich mich ganz genauso.

Du verschwendest deine Schönheit.

Dabei musst du nur die Mundwinkel hochziehen und schon bist du ganz niedlich.

Du verziehst immer so das Gesicht ...

Und irgendwie kommen die beiden sich dann näher ...

... und mich überwinden können!!

Ich habe all meinen Gehirnschmalz aufgebraucht

Wie schnulzig!!

Zitter Zitter

Zitter

Das hast du gut hinbekommen, Hinako!

Die Hauptfiguren tauchen auch kurz auf.

... die etwas schüchterne Emily.

Und Tono ...

Friedlich ...

Wo möchtest du hin?

Wohin du möchtest, Hugh.

Tamiya ...

Oje!

Hugh, ich liebe dich ...

... ist der ehrliche, freundliche und hübsche Gentleman Hugh.

Bescheiden

Meine Redakteurin ist ein Genie im Namengeben!!

Das passt zu gut!!

Lass uns kochen

Als wir beiden gerade zusammen-gezogen waren ...

... konn-ten wir nicht gut kochen ...

... und hatten Angst davor, den Hun-gertod zu sterben.

Im Internet findet man einfache Rezepte.

Lass uns erst mal etwas Einfaches probieren.

Was willst du essen?

Hm ...

Wow!

Die Zwiebeln sollen 50 Yen* kosten.

Nick Nick

Supermarkt

...markt

Wir müssen lernen, wie man kocht.

Sonst geben wir zu viel Geld für Essen aus.

Abgelaufene Artikel

*ca. 40 Cent

Die Hack-steaks ...

Aber etwas an-gebrannt.

... waren am En-de ganz lecker.

Die Schürze habe ich ...

... nicht erotisch ange-zogen!

Wir haben zusam-men ein-gekauft ...

... zu-sammen gekocht ...

... und wirklich alle Aspekte des Zusammenle-bens in vollen Zügen genos-sen, aber ...

... irgend-wie ...

Rausch

Mein Herz hält das nicht aus.

... mich etwas fertigge-macht.

... haben Tamiyas ständige Überfälle ...

!!!

Schließlich sind wir glücklich!

Tja ... Beschwe-ren muss ich mich aber auch nicht.

Das ist alles zu aufregend für mich!

Hast du fertig geba-det?

Zieh das hier an. ♡

Flatter

Tamiya gibt nicht auf.

Ende

Nachwort

Vielen Dank, dass ihr die limitierte Ausgabe gekauft habt. Diesmal habe ich mehrere Geschichten neu gezeichnet, daher fragte ich mich, welche am besten in den Band passen würde und welche besser ins Booklet gehört. Insgesamt hatte ich das Gefühl, dass die Geschichte um Yu-chan am besten in den Band passen würde. Die anderen Geschichten drehen sich eher um Tamiya und Tono und passen zusammengefasst besser in dieses Booklet. Im Making-of habe ich mich gar nicht so sehr von einer bestimmten Serie inspirieren lassen. Ha ha. Stattdessen habe ich mir mit meiner Redakteurin die Geschichte ausgedacht. Ich hatte Spaß, alle Charaktere der Reihe zu zeichnen, und durfte es ganze zehn Jahre lang machen. Vielen Dank, dass ihr mir so lange treu wart! Wenn ihr die Serie mochtet, dann werden euch die Geschichten in diesem Booklet hoffentlich auch gefallen haben.

Hinako Takanaga